Pat le chat

Les 12 jours de Noël

Kimberly et James Dean

Texte français d'Isabelle Montagnier

SCHOLASTIC

Catalogage avant publication de Bibliothèque et Archives Canada

Titre: Les 12 jours de Noël / Kimberly et James Dean ; texte français d'Isabelle Montagnier.
Autres titres: Pete the cat's 12 groovy days of Christmas. Français | Douze jours de Noël
Noms: Dean, Kim, 1969- auteur, illustrateur. | Dean, James, 1957- auteur, illustrateur.
Description: Mention de collection: Pat le chat | Traduction de: Pete the cat's 12 groovy days of Christmas.
Identifiants: Canadiana 20190093900 | ISBN 9781443177443 (couverture souple)
Classification: LCC PZ23.D407 A13 2019 | CDD j813/.6—dc23

Édition publiée par les Éditions Scholastic,
604, rue King Ouest, Toronto (Ontario) M5V 1E1,
avec la permission de HarperCollins.

5 4 3 2 1   Imprimé en Malaisie 108   19 20 21 22 23

L'artiste a réalisé les illustrations de ce livre à l'encre ainsi qu'à l'aquarelle et à la peinture acrylique sur du papier pressé à chaud de 300 lb.

Typographie : Jeanne L. Hogle

Le premier jour de Noël,
mon ami Pat m'a offert...

un super voyage à la mer! GÉNIAL!

Le deuxième jour de Noël,
mon ami Pat m'a offert...

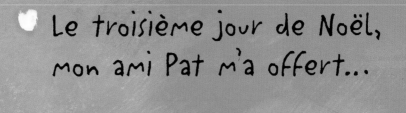

Le troisième jour de Noël,
mon ami Pat m'a offert...

3 p'tits gâteaux,

2 mitaines roses
et un super voyage à la mer!

GÉNIAL!

Le quatrième jour de Noël,
mon ami Pat m'a offert...

Le cinquième jour de Noël,
mon ami Pat m'a offert...

Le sixième jour de Noël,
mon ami Pat m'a offert...

6 planches à roulettes,

5 OIGNONS FRITS,
4 planches de surf,
3 p'tits gâteaux,
2 mitaines roses
et un super voyage à la mer!

GÉNIAL!

Le septième jour de Noël,
mon ami Pat m'a offert...

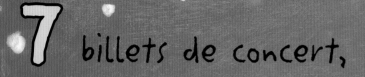

7 billets de concert,

6 planches à roulettes,
5 OIGNONS FRITS,
4 planches de surf,
3 p'tits gâteaux,
2 mitaines roses
et un super voyage à la mer!

GÉNIAL!

Le huitième jour de Noël,
mon ami Pat m'a offert...

7 billets de concert,
6 planches à roulettes,
5 OIGNONS FRITS,
4 planches de surf,
3 p'tits gâteaux,
2 mitaines roses

et un super voyage
à la mer!

GÉNIAL!

Le neuvième jour de Noël,
mon ami Pat m'a offert...

Le dixième jour de Noël,
mon ami Pat m'a offert...

10 paresseux,

9 chandails quétaines,
8 guitares classiques,
7 billets de concert,
6 planches à roulettes,
5 OIGNONS FRITS,
4 planches de surf,
3 p'tits gâteaux,
2 mitaines roses

et un super voyage
à la mer!

GÉNIAL!

Le onzième jour de Noël,
mon ami Pat m'a offert...

11 balles et ballons,

10 paresseux,
9 chandails quétaines,
8 guitares classiques,
7 billets de concert,
6 planches à roulettes,

5 OIGNONS FRITS,
4 planches de surf,
3 p'tits gâteaux,
2 mitaines roses

et un super voyage
à la mer!

GÉNIAL!

Le douzième jour de Noël,
mon ami Pat m'a offert...

12 amis parfaits,

11 balles et ballons,
10 paresseux,
9 chandails quétaines,
8 guitares classiques,
7 billets de concert,
6 planches à roulettes,
5 OIGNONS FRITS,
4 planches de surf,
3 p'tits gâteaux,
2 mitaines roses...

et un super voyage à la mer!

GÉNIAL!